ANSWER KEY

WORKBOOK

Enric Figueras
Boise State University

LAB MANUAL

Lisa Nalbone
University of Central Florida

to Accompany

Comunicación y cultura

Fourth Edition

Eduardo Zayas-Bazán
East Tennessee State University

Susan M. Bacon
University of Cincinnati

PEARSON

Prentice
Hall

Upper Saddle River, New Jersey 07458

© 2005 by PEARSON EDUCATION, INC.
Upper Saddle River, New Jersey 07458

10 9 8 7 6 5 4 3 2 1

ISBN 0-13-117561-0

Printed in the United States of America

Capítulo 1
Hola, ¿qué tal?

1-1

1. F
2. C
3. C
4. F
5. F
6. F
7. C
8. C

1-2

Answers may vary.
1. b
2. b
3. b
4. b
5. a
6. a
7. a
8. a

1-3

1. c
2. f
3. g
4. a
5. e
6. h
7. b
8. d

1-4

1. b
2. a
3. b
4. c
5. c
6. b
7. b

1-5

1. cómo estás / gracias / usted / adiós
2. buenas tardes / me llamo / gusto / el gusto es
3. buenos días / cómo está usted / muy bien / adiós
4. cómo estás / tú / bien

1-6

1. c
2. d
3. e
4. a
5. b

1-7

1. trece / diecisiete (diez y siete)
2. ocho / dieciséis (diez y seis)
3. diecinueve (diez y nueve) / veintitrés (veinte y tres)
4. veinticinco (veinte y cinco) / sesenta y nueve
5. cincuenta / noventa
6. treinta y uno / veintisiete (veinte y siete)
7. setenta y cinco / noventa y cinco
8. cincuenta y cinco / noventa y nueve
9. nueve / uno
10. dieciséis (diez y seis) / setenta y ocho

1-8

1. nueve
2. sesenta
3. setenta
4. dieciséis (diez y seis)
5. tres
6. veinte
7. cincuenta y uno
8. seis
9. veintiuno (veinte y uno)
10. cuatro

1-9

1. noventa y seis, treinta y dos, setenta y cuatro
2. cinco, treinta y dos, once, sesenta y cuatro

1-10

1. miércoles
2. lunes
3. jueves
4. martes
5. viernes
6. domingo
7. sábado

1-11

1. marzo
2. junio
3. enero
4. junio
5. septiembre
6. abril
7. agosto
8. abril

1-12

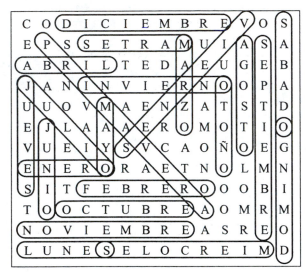

1-13

1. C
2. C
3. F
4. F
5. F
6. F
7. C
8. F

1-14

1. d
2. b
3. b
4. b

1-15

1. Conteste (Contesta) en español.
2. Escuchen.
3. Vaya (Ve) a la pizarra.
4. Estudien la lección.
5. Lea (Lee) la lección.
6. Cierran el libro.

1-16

1. unos lápices
2. unos bolígrafos
3. un cuaderno
4. un mapa
5. unos papeles

1-17

Answers will vary.

1-18

1. veintiuna (veinte y una)
2. treinta y un
3. sesenta y seis
4. dieciséis (diez y seis)
5. un
6. treinta
7. setenta y un
8. cien
9. diez
10. dieciocho (diez y ocho)

1-19

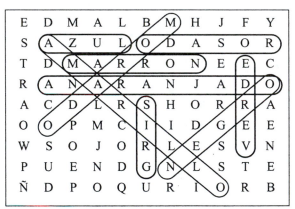

1-20

1. g
2. f
3. d
4. a
5. c
6. e
7. b
8. h

1-21

1. las
2. los
3. los
4. la
5. las
6. el
7. el
8. el
9. la
10. el

1-22

1. un
2. unos
3. una
4. una
5. unos
6. una
7. unos
8. un
9. unas
10. una

1-23

1. la señora
2. la mujer
3. la alumna
4. el estudiante
5. la chica
6. el niño
7. el hombre
8. el muchacho

1-24

1. M
2. M
3. F
4. M
5. M
6. F
7. M
8. F
9. F
10. M

1-25

1. la clase interesante
2. un diccionario pequeño
3. el papel blanco
4. un cuaderno anaranjado
5. la silla azul
6. el reloj redondo
7. el pupitre caro
8. una mesa cuadrada

1-26

1. a. un
   b. unos bolígrafos
2. a. unos
   b. unos libros
3. a. un
   b. unos mapas
4. a. unos
   b. unos lápices
5. a. una
   b. unas computadoras
6. a. un
   b. unos cuadernos
7. a. unos
   b. unos papeles
8. a. una
   b. unas pizarras

1-27

1. unos relojes caros
2. las señoritas antipáticas
3. la señora trabajadora
4. unos profesores aburridos
5. una profesora interesante
6. la clase grande
7. las luces amarillas
8. los libros azules

1-28

1. unas señoras extrovertidas
2. unas profesoras simpáticas
3. una estudiante tímida
4. un señor fascinante
5. un estudiante inteligente
6. unas profesoras aburridas
7. un señor bueno
8. unos señores trabajadores

1-29

1. b
2. c
3. c
4. c
5. b
6. c
7. d
8. b

1-30

Answers will vary.

1-31

1. c
2. b
3. a
4. a
5. a
6. b
7. a
8. b
9. c
10. b
11. b
12. b

1-32

1. es
2. soy
3. soy
4. es
5. es
6. son
7. somos
8. eres
9. eres
10. es

1-33

1. Nosotros somos los profesores estadounidenses.
2. Ana y Felipe son los estudiantes perezosos.
3. ¿Eres tú la estudiante argentina?
4. Marisol es una señora delgada.
5. ¿Son ustedes los estudiantes franceses?
6. ¿Es usted el señor mexicano?
7. María Eugenia es una señorita dominicana.
8. Mongo y Guille son unos chicos delgados y simpáticos.
9. Ustedes y yo somos españoles.
10. Cheo y yo somos unos estudiantes inteligentes.

1-34

Answers will vary.

1-35

1. es
2. soy
3. eres
4. soy
5. soy
6. son
7. es
8. es
9. somos
10. es
11. es
12. es
13. es
14. son

1-36

1. C
2. F
3. F
4. C
5. F
6. C
7. C
8. F
9. F
10. C

1-37–1-41

Answers will vary.

1-42

1. b
2. b
3. d
4. b

1-43

1. sesenta y siete
2. treinta y tres
3. noventa y nueve
4. veinticuatro (veinte y cuatro)
5. cien

1-44

1. julio
2. diciembre
3. febrero
4. octubre
5. sábado / domingo
6. invierno
7. verano
8. miércoles
9. noviembre / otoño
10. abril / primavera

1-45

1. soy
2. soy
3. es
4. es
5. son
6. son
7. son
8. somos
9. es
10. son

1-46

1. informal
2. formal
3. informal
4. formal
5. formal
6. informal
7. formal / informal
8. informal

1-47

1. a
2. b
3. c
4. c
5 a

1-48

1. a, c, d
2. b, d
3. a, c, d
4. a, c, d
5. a, b, d
6. b, c
7. a, b, c
8. c, d
9. a, b, c
10. a, b, c
11. a, b, c
12. b, c, d
13. a, c
14. a, b, d
15. b, c, d

1-56

a. 2
b. 1
c. 4
d. 3

1-57

The following items are mentioned:
bolígrafo, cuadernos, estudiantes, libros, mochila, pizarra, profesora, reloj, sillas

1-58

a. 2
b. 5
c. 6
d. 3
e. 4
f. 1

1-59

Pregunta: ¿Cuántos estudiantes hay?
Repuesta: Hay veinticinco estudiantes.
Pregunta: ¿Cuánto cuestan los cuadernos?
Repuesta: Dos pesos.
Pregunta: ¿Qué es esto?
Repuesta: Es una mochila.
Pregunta: ¿De qué color es?
Repuesta: La mochila es azul y gris.
Pregunta: ¿Qué hay en la mochila?
Repuesta: Hay dos libros, un cuaderno, tres plumas y cuatro lápices.

1-61

Stressed syllables appear in boldface.
1. re**loj**
2. profe**sor**
3. **lá**piz
4. pa**pel**
5. bo**lí**grafo
6. estu**dian**te
7. dic**cio**nario
8. **Luis**
9. E**duar**do
10. **mochila**

1-67

1. soy
2. son
3. somos
4. Yo
5. es
6. Nosotras
7. Ella
8. es
9. son
10. somos
11. es
12. Él
13. es
14. es
15. es
16. Él
17. es
18. es
19. Ellos
20. Nosotros

1-70

Answers will vary.
1. Hola. Me llamo Rosa Domínguez.
2. El gusto es mío.
3. Hay libros, cuadernos, lápices y bolígrafos.
4. Sí, los estudiantes de la clase de español son inteligentes.
5. La pizarra en la clase es blanca.

Capítulo 2
¿De dónde eres?

2-1

1. C
2. F
3. C
4. F
5. F
6. C
7. C
8. F

2-2

1. colombiana
2. cubano
3. argentinas
4. dominicana
5. mexicanos
6. venezolana
7. canadienses
8. panameñas

2-3

1. La profesora argentina es delgada también.
2. Las jóvenes morenas son norteamericanas también.
3. Los chicos simpáticos son panameños también.
4. El señor guapo es chileno también.
5. La novia española es alta también.
6. La madre es puertorriqueña y rubia también.
7. Las muchachas son inteligentes y trabajadoras también.
8. El chico es delgado y joven también.

2-4

1. Cómo
2. De dónde
3. Dónde
4. Qué
5. De qué
6. Quiénes
7. Quién
8. Cómo

2-5

1. d
2. g
3. e
4. a
5. j
6. i
7. c
8. h
9. f
10. b

2-6

Answers may vary.
1. Me llamo...
2. Soy de...
3. Soy de...
4. Soy...
5. Es interesante.
6. El/La profesor /profesora es de...

2-7

1. b
2. c
3. b
4. c
5. a
6. b

2-8

1. c
2. f
3. d
4. a
5. e
6. b

2-9

1. b
2. a
3. c
4. a
5. a

2-10

1. Arturo y David son muy delgados, ¿no?
2. La estudiante cubana es inteligente, ¿cierto?
3. La señora se llama Verónica, ¿verdad?
4. Toño es bajo y gordo, ¿no?
5. Gregorio es simpático, ¿sí?

2-11

1. es / no es
2. son / no son
3. son / no son
4. somos / no somos

2-12

1. Eres / soy / de
2. Son / no
3. Son / son / de
4. Eres / soy
5. Es / es

2-13

1. b
2. c
3. d
4. d
5. b
6. b

2-14

1. Cuál
2. Cuáles
3. Qué
4. Qué
5. Qué
6. Cuál

2-15

1. Por qué
2. Cuándo
3. Cuál
4. Cuántas
5. Qué
6. Quiénes / Cuáles
7. De dónde
8. De qué

2-16

Celia Cifuentes Bernal
1. b
2. a
3. d
4. c
5. d
6. b

Alberto López Silvero
1. a
2. d
3. b
4. c
5. d
6. b

Adela María de la Torre Jiménez
1. b
2. c
3. b
4. d
5. a

Rogelio Miranda Suárez
1. b
2. c
3. d
4. b

2-17

Primera fase
1. g
2. b
3. e
4. i
5. j
6. h
7. f
8. d
9. c
10. a

Segunda fase
1. Tú eschuchas música clásica.
2. Nosotras bailamos en una discoteca.
3. Yo hablo español, italiano, francés y un poco de inglés.
4. Ella y yo nadamos en el mar.
5. Tú y él conversan con un amigo en el café.
6. Yo miro la televisión.
7. Tú y yo trabajamos en una librería.
8. Ella y él estudian historia en la universidad.
9. Él practica mucho béisbol.
10. Yo preparo una pizza.

2-18
1. a
2. b
3. c
4. d
5. c
6. d

2-19
1. caminamos
2. preparan
3. Trabajas
4. nadan
5. practicamos
6. miran
7. bailan
8. conversan
9. estudian
10. escucho

2-20
1. viven
2. aprenden
3. asisten
4. escriben
5. lee
6. creo
7. debe
8. abre
9. comen
10. como
11. comemos
12. bebemos
13. comen
14. beben
15. creen
16. creo
17. vives

2-21
1. asiste / escribo
2. leen / aprende
3. como / bebes
4. abre / leemos

2-22

Answers to questions will vary.
1. aprendes
2. abres
3. bebes
4. debes
5. lees
6. Crees
7. haces
8. asistes

2-23

1. tienes
2. tenemos
3. tienen
4. tiene
5. tenemos
6. tengo

2-24 .

Answers will vary.

2-25

1. soy
2. es
3. tiene
4. estudia
5. tiene
6. es
7. estudian
8. practican
9. tiene
10. Tienes

2-26

1. F
2. C
3. F
4. F
5. C
6. F
7. F
8. C
9. C
10. F

2-27

Answers will vary.

2-28

1. Marisol es una estudiante muy buena.
2. Estudia en la Universidad de Navarra. Estudia derecho.
3. Nada y practica el fútbol.
4. Hay nueve estudiantes en la clase de francés.
5. Hay tres españoles, dos chilenos, un italiano y dos portugueses. Marisol es dominicana.
6. Es muy simpática.
7. Tiene veinte años.
8. Tiene que estudiar mucho porque tiene un examen de derecho mañana.

2-29–2-31

Answers will vary.

2-32

1. b
2. g
3. d
4. f
5. c
6. a
7. e

2-33

1. Cómo
2. Cuántos
3. Por qué
4. Qué
5. Quién
6. Dónde

2-34

1. estudio
2. asisto
3. aprendo
4. enseñan
5. comemos
6. trabajamos
7. nadamos
8. regresamos
9. vivo
10. viven

2-35

1. tienen
2. tiene
3. tiene
4. tengo
5. tenemos

2-36

1. C
2. F
3. C
4. C
5. C
6. C
7. C
8. F
9. C
10. F

2-37

1. a, b
2. b, c
3. a, b
4. a, c
5. a, b
6. a

2-43

1. b
2. a, c
3. a, b, c
4. a, b
5. b, c
6. b, c
7. a, b
8. b, c

2-44

1. b
2. a
3. a
4. b
5. c
6. a
7. c

2-46

1. Q
2. S
3. Q
4. Q
5. S
6. S

2-54

Answers will vary; verb forms should not.
1. Me llamo... (your name).
2. Tengo... años.
3. Soy alto/a, delgado/a, trabajador(a), simpático/a...
4. Soy de... (city).
5. Sí, (No, no) me gusta bailar.
6. Estudio... (subject or field).
7. Asisto a la universidad los...
8. Sí, (No, no) trabajo.
9. Hablo inglés, español, ...
10. Sí, (No, no) tengo hambre.
11. Sí, (No, no) escribo mucho en las clases.

Capítulo 3
¿Qué estudias?

3-1

1. Tiene un horario de clase ya.
2. Las materias que va a tomar Eduardo son: álgebra, química, historia, inglés y computación.
3. Pedro solamente tiene que tomar cuatro materias.
4. Luisa quiere veinte pesos.
5. Luisa le pide dinero a Carmen porque tiene mucha hambre.
6. Carmen tiene que asistir a su clase de biología.
7. La clase de biología es a las nueve y cinco.
8. Roberto está muy bien.
9. Roberto tiene que hablar con su profesor de francés.
10. Roberto estudia francés, alemán y portugués.

3-2

1. Todas
2. diccionarios
3. curso
4. computadora
5. tarea
6. biblioteca
7. materia
8. gimnasio

3-3

1. inteligente
2. complicado
3. toma
4. materias
5. Generalmente
6. solamente
7. Todos
8. tareas
9. exigentes
10. gimnasio
11. nada
12. baila

3-4

Answers will vary.

3-5

1. tenemos / álgebra (matemáticas)
2. tienes / computación
3. tengo / ingeniería
4. tiene / música
5. tiene / química
6. tienen / economía
7. tengo / literatura
8. tiene / biología

3-6

1. seiscientas una
2. doscientos dos
3. ciento un
4. ciento veinticuatro
5. diez mil doscientos doce
6. un millón quinientos mil
7. mil doscientos dieciséis
8. setecientas noventa y nueve
9. diez mil una
10. mil

3-7

1. c
2. d
3. c
4. a
5. d
6. a
7. c
8. a

3-8

1. c
2. d
3. b
4. d
5. b
6. b

3-9

1. Es su
2. Es su
3. Es su
4. Son sus
5. Es su
6. Son sus
7. Es su
8. Es su
9. Son sus
10. Son sus

3-10

1. No, no es mi diccionario. Es el diccionario del estudiante francés.
2. No, no son nuestros bolígrafos. Son los bolígrafos de tu amigo.
3. No, no son mis libros. Son los libros de José Antonio.
4. No, no es nuestra clase. Es la clase de los estudiantes argentinos.
5. No, no es mi calculadora. Es la calculadora de Paco.
6. No, no son mis lápices. Son los lápices de mis padres.
7. No, no es nuestra profesora. Es la profesora de María Cristina.
8. No, no es mi borrador. Es el borrador de la chica dominicana.

3-11

1. Nuestros
2. nuestra
3. Sus
4. Sus
5. Sus
6. sus
7. Sus
8. Su
9. Sus
10. mis
11. tus
12. mi

3-12

1. tengo sed
2. tenemos frío
3. tienen miedo
4. tienes hambre
5. tiene cuidado
6. tiene sueño

3-13

1. F
2. F
3. C
4. F
5. C
6. F
7. F
8. C
9. C
10. C

3-14

Answers may vary.
1. Es en la Facultad de Derecho que está detrás de la biblioteca.
2. Es en la Facultad de Ingeniería que está al lado (a la derecha) de la librería.
3. Es en la Facultad de Lenguas que está a la izquierda (al lado) del centro estudiantil.
4. Es en la Facultad de Ciencias que está entre la residencia estudiantil y la cafetería.

3-15

1. a
2. d
3. b
4. b

3-16

1. d
2. e
3. a
4. f
5. b
6. c

3-17

1. va
2. vamos
3. voy
4. van
5. va
6. van
7. vas
8. van / vais

3-18

1. No, Bernardo va a practicar el béisbol mañana.
2. No, vas a necesitar tu calculadora mañana.
3. No, vamos a ir al concierto mañana.
4. No, Elena va a conversar con sus amigos mañana.
5. No, nuestros padres van a llegar tarde mañana.
6. No, Cheo y yo vamos a ir al gimnasio mañana.

3-19

1. e
2. c
3. b
4. d
5. a

3-20

1. hacemos
2. hago
3. hace
4. hacen
5. hacen
6. hacen
7. haces
8. hacer

3-21

1. estoy apurado/a
2. están ocupados
3. estamos cansados
4. estamos aburridos
5. está triste
6. están enfadados
7. está enferma
8. está perdido

3-22

1. está escuchando música
2. está viendo la televisión
3. está escribiendo una carta
4. está tocando la guitarra
5. está hablando por teléfono
6. está sirviendo unos refrescos
7. está aprendiendo a cantar
8. está preparando el almuerzo
9. está haciendo ejercicio
10. está comiendo hamburguesas

3-23

1. estás
2. Estoy
3. Estoy
4. está
5. está
6. está
7. están
8. están
9. estoy
10. está
11. está
12. está
13. está
14. estar

3-24

1. Estoy preparando
2. Está jugando
3. Están durmiendo
4. Está sirviendo
5. Está comiendo

3-25

1. es / Es / está / Es / Está / está / está
2. son / están / es / Son / están / es
3. son / son / están / es / son / es / es / estoy

3-26

1. eres
2. Soy
3. son
4. son
5. estamos
6. es
7. es
8. son
9. es
10. Es
11. está
12. está

3-27

Answers may vary, but verbs should not.
1. Sí, es de los EE.UU.
2. No, no está en la universidad ahora.
3. Sí, es joven.
4. Sí, está trabajando.
5. Sí, soy una buena persona.
6. Sí, estoy listo/a.
7. Sí, estoy listo/a para ir al cine.
8. No, no estoy estudiando.
9. Sí, soy alto/a.
10. No, no somos españoles.
11. Sí, estamos en casa.
12. No, no estamos enfermos.

3-28

1. ¿Es vieja tu amiga Viviana?
2. ¿Están enfermos tus amigos Pedro y Pablo?
3. ¿Estás contento?
4. ¿Están listos tus amigos para ir a la biblioteca?
5. ¿Es alta tu profesora de francés?
6. ¿Es abogada tu madre?
7. ¿Está alegre tu perro?

3-29

1. C
2. C
3. F
4. F
5. C
6. C
7. F
8. F
9. F
10. C

3-30

Answers will vary.

3-31

Primera fase
1. Tomás está muerto de cansancio.
2. Tiene que trabajar hoy y mañana.
3. Tiene que escribir una composición para la clase de literatura.
4. Tiene examen en la clase de química.
5. Hay una fiesta en su apartamento. Porque es el cumpleaños de su novia.
6. El va a preparar la comida y comprar los refrescos para la fiesta.

Segunda fase
Answers will vary.

3-32–3-33

Answers will vary.

3-34

1. d
2. c
3. a
4. e
5. b

3-35

1. d
2. e
3. b
4. a
5. c
6. f

3-36

1. d
2. f
3. a
4. c
5. b
6. e

3-37

1. voy
2. hago
3. van
4. hacemos
5. vamos
6. hacemos
7. vamos
8. voy
9. van
10. hacemos

3-38

1. es
2. está
3. ser
4. es
5. está
6. son
7. está
8. es
9. está
10. están

3-39

1. a
2. a, c
3. a, b
4. b
5. a

3-48

1. a, b, c
2. a, b
3. b
4. a

3-57

1. estás durmiendo
2. estamos hablando
3. estoy pidiendo
4. está comiendo
5. está escribiendo
6. estamos corriendo
7. estás leyendo
8. están cantando

3-62

Answers will vary, forms will not.
1. Tengo...clases este semestre.
2. Soy de...(city).
3. Estoy...
4. Asisto a la clase de español los...
5. Están escuchando los ejercicios.
6. Voy a...

Capítulo 4
¿Cómo es tu familia?

4-1

1. c
2. d
3. b
4. b
5. c
6. c
7. b
8. c
9. b
10. b

4-2

1. abuelo
2. tía
3. cuñado
4. sobrinos
5. suegra
6. primas
7. nuera
8. hermano
9. abuelos
10. yerno

4-3

Answers will vary.
1. Mis abuelos son de...
2. Mis abuelos viven cerca / lejos de mi casa.
3. Sí, (No, no) tengo...(son mayores / menores.)
4. Sí, (No, no) tengo muchos primos.
5. Ellos son inteligentes.
6. Tengo...tías.
7. El miembro favorito de mi familia es mi...

4-4

1. servimos
2. sueñan
3. prefieren hablar
4. quiere
5. duermo
6. juegan

4-5

1. almuerzo / pido
2. puede / juega
3. duerme / entiende
4. sirven / vienen
5. puedo / pienso

4-6

Answers may vary.
1. Sí, (No, no) tengo muchos hermanos...
2. Sí, (No, no) vienen a la universidad.
3. Sí, (No, no) riño mucho con ellos.
4. Sí, (No, no) pienso visitar a mi familia pronto.
   (El 17 de octubre.)
5. Sí, (No, no) mis padres entienden español.
6. Generalmente, mis padres almuerzan en una
   cafetería.
7. Ellos sueñan con...
8. Prefiero...

4-7

1. tiene
2. empieza
3. puede
4. prefiere
5. duerme
6. almuerza
7. pide
8. sirve
9. vuelve
10. comienza
11. Quiere
12. juega
13. piensa
14. dicen
15. piensa

4-8

1. a / a
2. a
3. –
4. a
5. –
6. –
7. –
8. a
9. a
10. –

4-9

1. me
2. te
3. las
4. me
5. los
6. la
7. las
8. lo

4-10

1. los
2. los
3. los
4. los
5. lo
6. los
7. lo
8. los
9. las
10. las

4-11

1. Sí, mis padres están mirándola.
2. Sí, mi hermana está leyéndola.
3. Sí, mis hermanos están bebiéndolos.
4. Sí, mi abuelo está comiéndolo.
5. Sí, mi prima está escribiéndola.
6. Sí, mi tío está tocándola.
7. Sí, mi abuela está sirviéndolos.
8. Sí, mis hermanas están escuchándolos.

4-12

1. ponen / pongo / pones / pone
2. sale / salen / salen / salgo / salgo / salimos / salimos
3. traes / traigo / trae / traen

4-13

1. salen
2. trae
3. trae
4. pone
5. salir
6. salimos
7. pongo
8. salir
9. salir
10. salgo
11. salimos

4-14

1. b
2. b
3. a
4. c
5. a
6. b

4-15

Sample answers.
LAURA: ¡Hola, Raúl! ¿Quieres ir conmigo esta noche a la nueva discoteca La Bamba?
RAUL: Sí, me encantaría. ¿A qué hora pasas por mí?
LAURA: A las ocho y cuarto.
RAUL: Hasta pronto.
LAURA: Hasta pronto.

4-16

1. f
2. c
3. d
4. a
5. e
6. b

4-17

1. estas
2. esas
3. aquellos
4. ese
5. estos

4-18

1. estos / ésos
2. esas / aquéllas
3. ese / aquél
4. este / ése
5. esa / aquélla
6. ese / aquél

4-19

1. aquel
2. esta
3. ésa
4. aquella
5. ese
6. ése
7. estas
8. Ésta
9. ésta
10. Esta

4-20

1. Conoces / Sí, (No, no) conozco bien a tus primas.
2. Sabes / Sí, (No, no) sé dónde viven.
3. Conoces / Sí, (No, no) conozco a tus tíos.
4. Sabe / Sí, (No, no) sabe que soy tu amigo/a.
5. Saben / Sí, (No, no) saben cuándo es la reunión de toda la familia.

4-21

1. Saben
2. Conocen
3. Sabe
4. Conocen
5. Sabes
6. Saben
7. Sabe
8. Conoces
9. Sabe
10. Conoces

4-22

1. Conoces
2. Sabes
3. sé
4. sé
5. Sabes
6. sé
7. Sabes
8. sé
9. sabe
10. conoce
11. conoce
12. conoce
13. conozco
14. sé
15. Conoces
16. conozco

4-23

1. C
2. F
3. C
4. C
5. F
6. F
7. C
8. F
9. F
10. C

4-24–4-27

Answers will vary.

4-28

1. quiere
2. entiendo
3. pensamos
4. prefieren
5. vuelvo
6. puedes

4-29

1. c
2. b
3. e
4. a
5. d

4-30

1. traen
2. salgo
3. salen
4. pongo
5. traemos
6. pone

4-31

1. c
2. b
3. a
4. d
5. b
6. d

4-32

1. conozco
2. sabe
3. saben
4. conocen
5. saben

4-33

1. b
2. a, b, c
3. a, b
4. b, c
5. c
6. a, b, c
7. b
8. a, b

4-42

Answers will vary.
1. Almuerzo en *la cafetería*.
2. Mi clase de español empieza a *las ocho de la mañana*.
3. Prefiero *ir a la playa* con mis padres.
4. Sí, (*No, no*) vuelvo a casa después de clase.
5. Sí, (*No, no*) sueño todas las noches.
6. Sí, (*No, no*) pierdo las tareas frecuentemente.

4-52

1. C
2. C
3. F
4. F
5. C

4-62

1. Federico es bajo, inteligente y muy trabajador.
2. Federico y Elena son trabajadores.
3. Elena está muy guapa hoy.
4. Federico tiene el carro de su hermano mayor.
5. La función empieza en una hora y media.
6. Elena piensa que no hay tiempo para ir al centro.
7. Federico conoce las calles de San Juan.
8. No, Elena no los conoce.
9. Los primos de Federico son de Chile.
10. Presentan un espectáculo.

4-63

Answers will vary.
1. Sí, me encantaría.
2. La película comienza *a las nueve y media*.
3. Vuelvo a la universidad *en dos días*.
4. Sí, los visito frecuentemente.
5. Tengo una familia *grande*.
6. No, no conozco una persona famosa.
7. No, no sé cuántos años tiene mi profesor de español.
8. Estas preguntas son *difíciles*.

Capítulo 5
¿Cómo pasas el día?

5-1

1. La familia Pérez Zamora tiene tres hijos.
2. La señora Pérez les pide ayuda a sus hijos porque esta noche tienen una fiesta.
3. Tienen que trabajar todos porque hay muchos quehaceres.
4. A Antonio no le gusta limpiar.
5. Cristina tiene que lavar y secar la ropa. También tiene que barrer el patio y limpiar los baños.
6. Rosa va a poner la mesa, revisar el refrigerador, hacer las compras, hacer las camas y ordenar los dormitorios.
7. Rosa va a comprar la comida para la fiesta.
8. Antonio va a sacudir el polvo de los muebles.

5-2

1. sillón
2. cuadro
3. garaje
4. lavaplatos
5. sala
6. libreros
7. basura
8. cama
9. secadora
10. escoba

5-3

Answers will vary.
1. Pongo el sillón contra la pared.
2. Pongo el sofá entre el sillón y la mesa.
3. Pongo el librero contra la pared.
4. Pongo la lámpara encima de la mesa.
5. Pongo el cuadro en la pared.
6. Pongo la cómoda contra la pared.
7. Pongo la cama cerca de la ventana.
8. Pongo la mesa de noche al lado de la cama.
9. Pongo la ropa encima de la cama.
10. Pongo la silla cerca de la mesa.
11. Pongo la mesa a la izquierda de la pared.
12. Pongo las flores sobre la mesa.
13. Pongo el basurero en la cocina y no en el comedor.

5-4

Answers will vary.
1. Limpio el cuarto dos veces al mes.
2. Hago la cama todos los días.
3. Lavo la ropa una vez a la semana.
4. Paso la aspiradora de vez en cuando.
5. Saco la basura una vez a la semana.
6. Barro el pasillo dos veces a la semana.

5-5

1. b
2. a
3. a
4. c
5. a
6. d
7. c
8. c

5-6

1. da
2. doy
3. das
4. dan
5. damos

5-7

1. dicen
2. dices
3. digo
4. dicen
5. dicen
6. decimos
7. dice
8. digo

5-8

1. me
2. les
3. les
4. te
5. le
6. le
7. nos
8. le
9. les
10. le

5-9

1. Les
2. Le
3. Le
4. Les
5. Les
6. Le

5-10

1. nos queda
2. te fascina
3. les gusta
4. Te interesan
5. les parece
6. le encanta
7. me molesta
8. le falta
9. Le gusta
10. me caen bien

5-11

1. gusta
2. gustan
3. caen mal
4. gusta
5. fascinan
6. encanta
7. gusta
8. caes

5-12

Answers may vary.
1. Me gusta el comedor grande porque mi familia es grande.
2. Me molestan los dormitorios grandes porque tengo que limpiar mucho.
3. Me gustan los garajes grandes porque me fascinan los carros.
4. Me gusta el jardín grande porque tengo perros.
5. Me fascina el patio porque me gusta estar en el jardín.
6. Me molesta la sala grande porque tengo que ordenarla.
7. Me gusta el sofá cómodo para ver la TV.
8. Me gusta el librero grande para poner todos mis libros.

5-13

1. F
2. F
3. C
4. F
5. C
6. F
7. C
8. F
9. F
10. F

5-14

1. despertador
2. jabón
3. cepillo de dientes
4. peine
5. pintalabios
6. espejo
7. secadora
8. crema de afeitar
9. maquillaje
10. desayuno

5-15

Answers may vary.
1. 1e 2c 3d 4a 5b
2. 1c 2e 3b 4d 5a
3. 1a 2c 3b 4d
4. 1b 2d 3c 4a

5-16

1. b
2. c
3. a
4. c
5. a
6. a

5-17

1. se mira
2. nos levantamos
3. se seca
4. te lavas
5. se maquilla
6. se bañan
7. me ducho
8. se pone
9. se afeita
10. te pintas

5-18

1. me despierto
2. me baño
3. me cepillo
4. me afeito
5. me lavo
6. me lavo
7. se levantan
8. se ducha
9. se maquilla
10. se pinta
11. nos reunimos
12. nos desayunamos

5-19

1. se pone
2. se duerme
3. se pone
4. se afeita
5. se pone
6. se sienta / se prepara
7. se peina
8. se enoja
9. se lava
10. se quita

5-20

Answers will vary.
1. Sí, soy madrugador. Me despierto a las seis.
2. Prefiero ducharme.
3. Me afeito con una máquina de afeitar y crema de afeitar.
4. Me pongo perfume después de ducharme. / Me pongo loción después de afeitarme.
5. Me pongo impaciente cuando estoy esperando a mi novio/a.
6. Me alegro cuando saco buenas notas, y me pongo triste cuando saco malas notas.
7. Me pongo nervioso/a cuando estoy apurado/a.
8. Me acuesto a las once.

5-21

1. nos queremos
2. nos escribimos
3. nos contamos
4. nos hablamos
5. nos ayudamos
6. nos decimos / nos amamos
7. nos besamos
8. nos tratamos

5-22

1. nos llamamos
2. nos reunimos
3. nos sentamos
4. nos bañamos
5. nos dormimos
6. nos despertamos
7. nos bañamos
8. nos preparamos
9. nos ponemos
10. nos divertimos
11. nos despedimos

5-23

1. se miran
2. se sonríen
3. se dicen
4. se piden
5. se ofrecen
6. se hablan
7. llamarse
8. se invitan

5-24

Answers may vary.
1. Sí, nos escribimos a menudo.
2. Sí, nos contamos cosas muy personales.
3. Sí, nos hablamos por teléfono.
4. Sí, nos vemos a menudo.
5. Sí, nos visitamos durante el verano.

5-25

1. Cristina tiene tantos amigos como Rosa.
2. Cristina habla tanto como Rosa.
3. Cristina es tan responsable como Rosa.
4. Cristina tiene tanta paciencia como Rosa.
5. Cristina se enamora tanto como Rosa.
6. Cristina es tan simpatica como Rosa.
7. Cristina es tan bonita como Rosa.
8. Cristina tiene tantos quehaceres como Rosa.

5-26

1. tantos
2. tan
3. tan / como
4. tantos / como
5. tanto como
6. tan
7. tanto como

5-27

1. C
2. C
3. F
4. F
5. C
6. C
7. C
8. F

5-28

Answers may vary.
1. La casa en Los Arcos es más grande que la casa en Parritta.
2. La case en Palo Seco es más cara que la casa en Parritta.
3. La casa en Santo Domingo de Heredia es más barata que la casa en Los Arcos.
4. La casa en Palo Seco está más cerca de la playa que la casa de Santo Domingo de Heredia.
5. La casa en Santo Domingo de Heredia tiene más dormitorios que la casa en Parritta.

5-29

1. C
2. C
3. F
4. F
5. C
6. F
7. F
8. C
9. C
10. F

5-30–5-34

Answers may vary.

5-35

1. c
2. e
3. b
4. a
5. d

5-36

1. encantan
2. gusta
3. interesan
4. fascinan
5. molestan
6. caen bien

5-37

1. me
2. me
3. me
4. me
5. me
6. me
7. me
8. le
9. se
10. se
11. se
12. se
13. se
14. se
15. se
16. nos
17. nos
18. nos

5-38

1. mejor
2. mayor
3. más
4. más
5. menos
6. mejor

5-39

1. C
2. F
3. C
4. F
5. F
6. C
7. F
8. C

5-41

1. a, b
2. c
3. a, c
4. a
5. b
6. c

5-51

1. b
2. a
3. b
4. b
5. a, c
6. c
7. a, c

5-52

Third floor: Left, 5; Right, 6
Second floor: Left, 1; Right, 4
First floor: Left, 3; Right, 2

5-65

The following rooms and items should have checks:
baño, cama, cocina, comedor, cómoda, cuadro, dormitorio, estantes, garaje, jardín, lámpara, mesa, sala, sillas, sillón, sofá

5-69

1. Mis quehaceres domésticos favoritos son *planchar y pasar la aspiradora*.
2. Los quehaceres domésticos que no me gustan son lavar la ropa y barrer el piso.
3. En mi dormitorio tengo una cama, un estante y un escritorio.
4. Me visto en mi dormitorio.
5. Los pongo en la mesa.
6. Sí, salgo frecuentemente a hacer las compras.
7. Normalmente, me acuesto *a las doce*.
8. No, no me lavo el pelo todos los días.
9. Me cepillo los dientes *dos veces al día*.

Capítulo 6
¡Buen provecho!

6-1

1. F
2. F
3. C
4. C
5. C
6. F
7. F
8. F
9. C
10. F

6-2

1. e
2. c
3. d
4. b
5. a
6. f

6-3

6-4

1. c
2. b
3. a
4. b
5. a
6. c
7. a
8. a

6-5

1. b
2. e
3. d
4. a
5. c

6-6

Answers will vary.
1. Almuerzo a las doce.
2. Como una hamburguesa y unas papas fritas.
3. Ceno en un restaurante.
4. Sí, desayuno. Como huevos revueltos y tostadas.
5. Mi plato favorito es...porque...

6-7

1. b
2. c
3. a
4. d
5. a
6. d
7. b
8. c

6-8

1. mejores
2. el
3. de la
4. rico
5. las
6. del

6-9

Answers will vary.
1. Mis padres son mayores que yo.
2. Mis hermanos son menores que yo.
3. Mi abuela es la mayor de la familia.
4. Mi mejor amigo se llama Paco.
5. Margarita y Juan son los mejores estudiantes de mi clase.
6. Ramón es el peor chico de la residencia estudiantil porque no es simpático.
7. La Profesora Sánchez es la mejor de la universidad.
8. Margarita es la más inteligente de la clase.

6-10

1. se las
2. se las
3. se la
4. se los
5. se los
6. se la
7. se la
8. se la

6-11

1. Se lo
2. Se los
3. Se los
4. Se la
5. Se los
6. Se los
7. Se los
8. Se lo
9. Se la
10. Se lo

6-12

1. Sí, se los está llevando (está llevándoselos).
2. Sí, se lo están pidiendo (están pidiéndoselo).
3. Sí, se lo están preparando (están prepárandoselo).
4. Sí, el camarero me los está sirviendo (está sirviéndomelo).
5. Sí, se la estamos pagando (estámos pagándosela).
6. Sí, nos lo está trayendo (está trayéndonoslo).
7. Sí, la camarera te los está poniendo (está poniéndotelos).
8. Sí, el chef nos la está haciendo (está haciéndonosla).

6-13

1. b
2. b
3. c
4. c
5. b
6. a
7. c
8. b

6-14

1. lavaplatos
2. congelador
3. microondas
4. cafetera
5. refrigerador
6. estufa
7. sartén
8. receta
9. recipiente
10. pizca
11. tostadora
12. mezclar

6-15

1. calientan
2. mezcla
3. añade
4. preparan
5. fríen
6. echa
7. hiervo
8. tuestas
9. hornean
10. tapan

6-16

Answers will vary.

6-17

1. calentó
2. hornearon
3. echó
4. mezclé
5. añadió
6. tapó
7. cocinamos
8. preparó
9. tostaron
10. comimos

6-18

1. me desperté
2. decidí
3. Llamé
4. invité
5. llegamos
6. entramos
7. preguntó
8. respondió
9. pedimos
10. preparó
11. añadí
12. gustó
13. bebí
14. tomó
15. dejamos

6-19

1. buscaron
2. caminaron
3. encontraron
4. atendió
5. comió
6. comió
7. salieron
8. volvieron
9. almorzaste
10. comiste
11. Esperaste
12. Pagaste
13. Saliste
14. llegamos
15. abrazó
16. comencé
17. busqué
18. explicó
19. gustó
20. regalamos

6-20

1. durmió
2. Leyó
3. Siguió
4. Pidió
5. Repitió
6. Oyó
7. Sirvió

6-21

1. prefirieron
2. oyeron
3. leí
4. leyeron
5. pedí
6. pidieron
7. sirvió
8. pidió
9. creyó
10. durmió
11. se sintieron

6-22

1. F
2. C
3. C
4. F
5. C
6. F
7. C
8. C
9. C
10. F

6-23–6-26

Answers will vary.

6-27

1. la mejor
2. más inteligente
3. las más sabrosas
4. la más picante
5. el más rico

6-28

1. nos la
2. se la
3. me lo
4. te las
5. nos los

6-29

1. salimos
2. llegamos
3. buscamos
4. leyó
5. pidió
6. prefirió
7. pedimos
8. sirvió
9. salimos
10. pagué
11. expliqué
12. hablé
13. aumentó
14. sintió

6-30

1. a
2. a, c
3. a, b, c
4. c
5. a, b, c
6. b
7. a
8. b

6-40

1. F
2. C
3. C
4. F
5. F
6. C
7. C
8. C
9. F
10. C

6-41

1. Corté
2. ají
3. tomates
4. sartén
5. fuego bajo
6. cucharadas
7. cebollas
8. picado
9. dejé cocinar
10. mediano
11. Añadí
12. pizca
13. kilo
14. Mezclé
15. ingredientes
16. cucharadita
17. taza
18. Cociné
19. cuchara
20. recipiente
21. refrigerador
22. congelador
23. horneé

6-47

1. expliqué
2. comencé
3. practiqué
4. busqué
5. pagué
6. abracé
7. almorcé

6-50

1. leyó
2. freíste
3. leyeron
4. se rieron
5. creí, oí
6. creyó, oyó

6-51

1. F
2. C
3. F
4. F
5. F
6. C
7. C
8. F

6-53

1. *Mi novia* pidió café.
2. El camarero que sirvió la cena se llama *Tomás.*
3. Repetí *las papas.*
4. Ese camarero durmió *solamente cuatro* horas anoche.
5. *Gloria* se rió del camarero.
6. Julián prefirió beber *un refresco.*

Capítulo 7
¡A divertirnos!

7-1

1. b
2. c
3. b
4. c
5. b
6. c
7. b
8. b

7-2

1. sombrilla
2. traje de baño
3. heladera
4. hacer un pícnic
5. bolsa

7-3

1. El teatro se llama el Teatro Hispaniola.
2. La obra teatral se llama "Diatriba de amor contra un hombre sentado".
3. La dirección es calle de Albatros, cuarenta y dos.
4. La obra teatral es el jueves.
5. Es a las nueve de la noche.
6. El boleto cuesta seiscientos pesos.
7. El asiento es el diez, en la fila tres.
8. Sí, el numero de teléfono es el ocho, cero, nueve, cinco, siete, uno, cero, dos, nueve, cero.

7-4

1. hace frío
2. hace fresco
3. nado en el mar
4. hace mucho frío
5. hace buen tiempo
6. voy a esquiar
7. hace mucho calor
8. uso un paraguas

7-5

Answers may vary.
1. Hace sol y hace calor.
2. El día está ideal para ir a la playa.
3. Me voy a casa.
4. Bebo café cuando hace mucho frío.
5. Nado en el mar.
6. En mi ciudad no nieva, pero llueve mucho.
7. Hace mucho frío en invierno.
8. Hace mucho calor en verano.

7-6

1. fuiste / Salí
2. fuiste / Fui
3. Tuviste / tuve
4. Estuviste / estuve / di
5. diste / Di

7-7

1. fui / fue / fueron / fuimos
2. tuvimos / tuve / tuvieron / tuvimos / tuvo
3. di / dieron / dio / dimos
4. estuve / estuvimos / estuvo / estuvieron / estuvimos / estuviste

7-8

1. dimos
2. fueron
3. tuvo
4. tuve
5. estuvieron
6. tuvo
7. dimos
8. estuvo
9. Fuiste

7-9

1. ni / ni
2. algo / nada
3. algún / ninguno
4. algo / algún
5. alguien / nadie
6. algo / Siempre
7. Nunca / ningún

7-10

1. Yo siempre te llevo a la playa.
2. Yo siempre te doy algún regalo.
3. Yo te llevo a la discoteca y al cine.
4. Yo también te invito a dar un paseo.
5. Yo no quiero a nadie más que a ti.
6. Yo sí te quiero.

7-11

1. C
2. F
3. F
4. C
5. F
6. C
7. C
8. F
9. C
10. F

7-12

1. raqueta / pelota
2. bate / guante
3. balón
4. cancha
5. entrenador
6. aficionados
7. ganar
8. árbitro
9. equipo
10. empatan

7-13

1. e
2. a
3. h
4. j
5. b
6. d
7. g
8. c
9. f
10. i

7-14

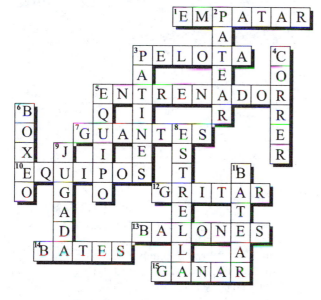

7-15

Answers may vary.
1. No me gusta el básquetbol porque es agresivo.
2. Me gusta la natación porque es interesante.
3. No me gusta el ciclismo porque es aburrido.
4. Me gusta el hockey porque es emocionante.
5. No me gusta el tenis de mesa porque es lento.
6. Me gusta el esquí porque es rápido.

7-16

1. En la liga hay tres divisiones.
2. Los Mellizos son de Minnesota.
3. Los Orioles y los Tigres tienen el mismo promedio.
4. Los Azulejos han ganado noventa y cinco juegos.
5. El promedio de los Atléticos es cuatrocientos veinte.
6. Mi equipo favorito es...porque...

7-17

1. pude
2. me puse
3. vinieron
4. trajeron
5. supimos
6. dijo
7. me puse
8. Pudiste

7-18

1. fui
2. tuvimos
3. anduvimos
4. pude
5. fuimos
6. estuvimos
7. buscó
8. conocí
9. estuvimos
10. vinieron
11. fue
12. jugó
13. bateó
14. gritaron
15. animaron
16. quise
17. pude
18. vine
19. escribí
20. di

7-19

Answers will vary.
1. Se necesita un guante.
2. Se usa una raqueta para jugar al tenis.
3. Se pone en el cesto.
4. Se juega con un balón.
5. Se usan guantes.
6. Se tiene que jugar bien.
7. Se puede gritar.
8. Se debe ser un/a buen/a jugardor/a.

7-20

1. Se dice
2. se juega
3. se tiene
4. se mira
5. se estudian
6. se necesita
7. se toma
8. se lanza
9. se da

7-21

1. Se dice
2. se sabe
3. se habla
4. se atiende
5. se puede
6. se llevan
7. se abre
8. se cierra

7-22

1. b
2. a
3. a
4. c
5. c
6. b
7. a

7-23–7-26

Answers will vary.

7-27

1. pudimos
2. vino / trajo
3. fui
4. dijo
5. hicieron

7-28

1. c
2. a
3. d
4. c
5. a

7-29

1. supo / fue
2. pusiste
3. Hubo
4. conocieron / estuvieron

7-30

1. se prohíbe
2. Se dice
3. se venden
4. Se escucha
5. se da

7-31

1. a, c
2. a, b, c
3. a, b, c
4. b, c
5. a, c

7-32

1. L
2. L
3. I
4. L
5. L
6. L
7. I
8. L
9. I
10. L

7-35

Answers will vary; verb forms should not.
1. Almorcé con Manuela.
2. Fui a la cafetería de la universidad.
3. Mis amigos pidieron las quesadillas.
4. Sí, (No, no) se la di.
5. Comencé a estudiar español el semestre pasado.
6. Sí, (No, no) jugué al fútbol este fin de semana.
7. Sí, (No, no) compré algo (nada) ayer.
8. Sí, (No, no) lo leí esta mañana.

7-38

1. b
2. a
3. b, c
4. c
5. a, b
6. a

7-39

1. básquetbol / baloncesto, d
2. boxeo, b
3. correr, e
4. esquí acuático, a
5. vólibol, c

7-45

1. C
2. F
3. C
4. C
5. C
6. F
7. C
8. C

Answers will vary.
1. Me gusta ir al cine.
2. No me gusta hacer un pícnic.
3. Hola, Rodrigo. ¿Quieres ir al cine este fin de semana?
4. La semana pasada lo pasé muy bien.
5. La película es el sábado por la noche a las nueve en el Cine Universal.

Capítulo 8
¿ En qué puedo servirle?

8-1

1. b
2. a
3. b
4. c
5. a
6. c
7. b
8. a
9. b
10. c

8-2

1. centro comercial
2. ir de compras
3. vestido
4. abrigo
5. probador
6. corbata
7. de manga corta
8. pantalones
9. billetera
10. zapatillas de tenis
11. venta-liquidación
12. gangas
13. tarjeta de crédito
14. bolso

8-3

Answers will vary.
1. llevo un vestido azul, una chaqueta blanca y zapatos negros
2. llevo una falda, una blusa y zapatos de tenis blancos
3. llevo vaqueros, una blusa y zapatos de tenis
4. llevo un suéter, un abrigo y botas negras
5. llevo pantalones cortos de algodón, una blusa de manga corta y sandalias

8-4

Answers will vary.
1. Busco unos pantalones negros.
2. Es la cuarenta y dos.
3. Sí, gracias.
4. Necesito una camisa de manga larga también.
5. Deseo pagar con tarjeta de crédito.

8-5

Answers will vary.
1. ¿Dónde está la sección de ropa para mujeres?
2. ¿Dónde están las blusas en rebaja?
3. ¿Puedo probarme las blusas?
4. ¿Qué tal me queda?
5. ¿No me queda grande?

8-6

1. abrigo
2. camiseta
3. pagar al contado
4. caja
5. talla
6. ganga
7. botas
8. manga corta
9. tela
10. rebaja

8-7

1. compraba
2. pedían
3. sabía
4. contábamos
5. jugaban
6. leía
7. escribía
8. atendía
9. se dormía
10. nos reíamos

8-8

1. trabajábamos
2. veíamos
3. viajábamos
4. comprábamos / gastábamos
5. comíamos

8-9

1. trabajaba
2. llegábamos
3. conversábamos
4. entrábamos
5. abría
6. anunciaba
7. atendíamos
8. mostrábamos
9. eran
10. se ponían
11. encontraban
12. ayudábamos
13. llevábamos
14. nos poníamos
15. gustaba
16. nos divertíamos

8-10

1. era / era / eran / era / éramos
2. íbamos / iba / iban / iban / íbamos
3. veía / veían / veía / veía / veíamos

8-11

Answers will vary.
1. Era bajo y flaco. También era muy travieso.
2. Iba al parque con mis amigos a jugar al fútbol.
3. Vivía con mis padres y mis hermanos en una ciudad grande.
4. Estudiaba mucho y jugaba con mis amigos.
5. Veía a mis parientes todos los domingos.

8-12

1. quinta
2. cuarto
3. octavo
4. novena
5. segundo
6. séptimo
7. sexto
8. tercera
9. décimo
10. primer

8-13

1. segunda
2. sexta
3. planta baja
4. tercera
5. quinta
6. sótano
7. sexta
8. séptima
9. cuarta
10. tercera

8-14

1. b
2. a
3. c
4. b
5. c
6. a
7. b
8. a
9. b
10. c

8-15

1. g
2. e
3. f
4. a
5. c
6. d
7. b

8-16

Answers will vary.
1. les compro pulseras de plata
2. le compro un llavero de oro
3. le compro una camisa de algodón
4. le compro un par de botas
5. un bolígrafo
6. un anillo de oro

8-17

1. usaba / usó
2. se ponían / se pusieron
3. íbamos / fuimos
4. gastaban / gastaron
5. quedaba / quedó
6. devolvía / devolví
7. valían / valieron
8. pagaba / pagué

8-18

1. iban
2. encontraba
3. encontrábamos
4. compraba / tomaba
5. nos despertamos / pudimos
6. gastábamos / gastaba
7. hacíamos
8. nos mudamos / Fue

8-19

1. iba
2. hacíamos
3. íbamos
4. tocaba
5. cantábamos
6. salíamos
7. jugábamos
8. nadábamos
9. oyó
10. venía
11. corriemos
12. había
13. descubrimos
14. tomamos
15. regresamos
16. estábamos

8-20

1. Había
2. se llamaba
3. decían
4. era
5. iba
6. quedaba
7. conoció
8. tenían
9. se llamaba
10. era
11. decían
12. comenzaron
13. empezaron
14. caminaban
15. veían
16. iban
17. gustaba
18. se atrevía
19. caminaban
20. cantó
21. dijo
22. quería
23. dio
24. eran
25. se emocionó
26. dio
27. se enamoró
28. se casaron
29. Tuvieron
30. vivieron

8-21

1. F
2. C
3. C
4. F
5. F
6. C
7. F
8. C
9. F
10. C

8-22–8-25

Answers will vary.

8-26

1. pagaba / comprábamos
2. leíamos
3. iban / gastaban
4. estabas
5. se ponía

8-27

1. d
2. g
3. b
4. f
5. a
6. e
7. c

8-28

1. era
2. gustaba
3. compraban
4. quería
5. fuimos
6. vi
7. era
8. pedí
9. dijeron
10. aprendí

8-29

1. b, c
2. a, c
3. b
4. b
5. a, c
6. a, c
7. b, c
8. b, c
9. c
10. a, b, c

8-31

The following items should be included:
sombreros, guantes, sandalias, zapatos, vestido negro, zapatos de cuero, blusa, bolsos, suéter, saco de rayas, sombrero, corbatas de seda, camisa, pantalones

8-32

1. Sí, miraba la televisión todos los días.
2. Sí, viajaba a muchas partes.
3. Comía el desayuno a las siete de la mañana.
4. Sí, tenía muchos amigos.
5. Estudiaba en mi casa, en la cocina.
6. Cuatro personas vivían conmigo.
7. Sí, les escribía a mis abuelos.
8. Sí, ayudaba mucho a mis padres.

8-34

1. Iba a Jefferson Elementary.
2. Iba en autobús.
3. Éramos cinco en mi familia.
4. Mis abuelos eran símpaticos.
5. Mi casa era amarilla y era bonita.
6. Veía películas cómicas.
7. Íbamos a los parque para hacer un pícnic.
8. Jugaba al fútbol.

8-36

1. b, c
2. b, c
3. c
4. b
5. a, b
6. a
7. a, b

8-39

1. tuve
2. me levanté
3. quería
4. Iban
5. salía
6. decidí
7. iba
8. fuiste
9. trabajé
10. estaba
11. Llamé
12. dijo
13. podía

8-40

1. busco
2. están
3. hablo
4. pregunto
5. debo
6. digo
7. contesta
8. es
9. Voy
10. gusta
11. veo
12. pasa
13. comemos
14. hace
15. caminamos
16. vemos
17. es
18. hace

8-43

1. fue
2. gasté
3. compraste
4. Anduve
5. Primero
6. joyería
7. busqué
8. llavero
9. vi
10. dijeron
11. pasaron
12. eligieron
13. eran
14. llevaron
15. tenían
16. rebajas
17. hiciste
18. Salí
19. querían
20. seguí
21. fui
22. hiciste
23. venta-liquidación
24. compré
25. pantalones
26. rayas
27. seda
28. conseguí
29. zapatos
30. droguería
31. volviste
32. salí
33. eran
34. llegué

Capítulo 9
Vamos de viaje

9-1

1. b
2. c
3. a
4. c
5. a
6. b
7. a
8. c
9. b
10. b

9-2

1. f
2. a
3. h
4. c
5. d
6. g
7. b
8. e

9-3

Answers will vary.
1. El aduanero nos revisó el equipaje en la aduana.
2. Puse los boletos en el mostrador de la aerolínea.
3. El guía de nuestra excursión es muy amable.
4. Mi equipaje está en la sala de reclamación.
5. La azafata me pidió la tarjeta de embarque.
6. Mi asiento está al lado de la ventanilla.
7. Me pongo el cinturón de seguridad antes de despegar el avión.
8. Hay una demora y, por eso, estoy en la sala de espera.

9-4

1. c
2. c
3. a
4. a
5. b
6. b
7. b
8. c

9-5

Answers may vary.
1. Prefiero sentarme al lado de la ventanilla porque me gusta ver todo.
2. Me siento en la sección de no fumar.
3. Me siento en la sala de espera y leo.
4. En mi maleta pongo la ropa.
5. Facturo el equipaje y llevo el equipaje de mano porque es muy cómodo.

9-6

1. por
2. Para
3. por
4. por
5. para
6. por
7. por
8. para
9. para
10. por

9-7

1. para
2. para
3. por
4. por
5. Para
6. Para
7. Por
8. Por
9. Para
10. por
11. para
12. para
13. para

9-8

1. para
2. por
3. por
4. por
5. para
6. Por
7. por
8. por
9. por
10. por
11. por
12. Para
13. para
14. para

9-9

Answers will vary.

9-10

Answers may vary.
1. cuidadosamente
2. lentamente
3. elegantemente
4. fácilmente
5. frecuentemente
6. rápidamente
7. difícilmente
8. maravillosamente

9-11

1. alegremente
2. cuidadosamente
3. elegantemente
4. Generalmente / solamente
5. lentamente
6. claramente
7. rápidamente

9-12

1. b
2. c
3. a
4. c
5. b
6. a
7. b
8. b
9. b
10. a

9-13

1. gafas de sol
2. mapa
3. flores
4. estadía
5. rollo de película
6. bosque
7. vista
8. piscina
9. pescar
10. montar
11. isla
12. río

9-14

1. caminemos / bebamos / escribamos
2. hagan / oigan / traigan
3. conozca / duerma / me siente
4. lleguen / sigan / saquen
5. te sientas / busques / seas
6. dé / venga / esté
7. lea / se levante / salga
8. devuelva / vaya / diga

9-15

1. llame
2. lean
3. hablemos
4. me encargue
5. hagas
6. pida
7. preparemos
8. compre

9-16

1. reserve / cambie / tenga / pague
2. hagas / muestres / abras / esperes
3. abordemos / nos abrochemos / nos sentemos / le demos
4. despegue / tenga / sea / aterrice

9-17

1. duerman
2. hagan
3. saquen
4. se queden
5. recorran
6. hable
7. pague
8. dé
9. llame
10. nos levantemos
11. nos acostemos
12. vayamos
13. empecemos
14. montemos
15. pasemos

9-18

1. participemos
2. vayamos
3. pidamos
4. es
5. podemos
6. hagamos
7. empezar
8. llamemos
9. compremos
10. hacer
11. vayamos
12. pesquemos
13. montemos
14. explorar
15. saquemos
16. compremos
17. pasarlo

9-19

Answers will vary.
1. Te recomiendo que hables con un agente de viajes.
2. Quiero que no llegues tarde al aeropuerto.
3. Te aconsejo que pongas una guía en la maleta.
4. Te pido que vayas a los museos.
5. Te prohíbo que hagas la reserva tarde.
6. Te digo que tú y tus amigos busquen un buen hotel.
7. También les sugiero que ustedes coman en buenos restaurantes.
8. Deseo que ustedes hagan muchas actividades durante sus vacaciones.

9-20

1. C
2. F
3. F
4. C
5. C
6. C
7. F
8. C
9. C
10. C

9-21–9-24

Answers will vary.

9-25

1. por
2. para
3. por
4. para
5. para
6. por

9-26

1. inmediatamente
2. tranquilamente
3. rápidamente
4. amablemente
5. cuidadosamente
6. lentamente

9-27

1. puedan
2. sea
3. esté
4. montar
5. ir
6. sacar
7. busque
8. pregunte
9. lo pasemos
10. hagamos

9-28

1. encontrar
2. vayamos
3. busque
4. ayude
5. tenga / esté

9-29

1. c
2. a, b, c
3. a
4. a, c
5. a, b
6. b
7. c
8. c

9-35

1. c
2. a, b
3. c
4. b, c
5. a, b
6. a, c
7. b

9-36

1. el lago
2. el museo
3. pescar
4. la vista
5. el mapa
6. la estadía
7. la isla
8. el volcán
9. el fuerte
10. ir de excursión

9-43

Josefina Pereda y Federico Ruiz: The flight attendant and pilot who are walking toward puertas 1-5

La familia Peña: The family group who are walking toward the *sala de espera*

Pablo: The man who is reading the newspaper

Dolores Gutiérrez: The female airline employee who is behind the ticket counter

Rosa Romero: The middle-aged woman who is speaking with a smiling airline employee behind the counter

Ricardo Bello: The amused-looking airline employee behind the ticket counter

El señor Ramírez: The puzzled young man in the baggage check-in line who is holding a pet carrier

Pedro: The small boy wearing a hat who is looking at the pet carrier

Ema Flores: The young woman who is checking in her luggage and bending over

9-44

Answers will vary.
1. Prefiero ir a *Chile.*
2. Quiero *escalar montañas y sacar muchas fotos.*
3. Mis amigos me recomiendan que *visite los museos importantes de la capital.*
4. Quiero que *mi mejor amiga* vaya conmigo.
5. Los folletos me te aconsejan que me quede en *el Hotel Miraflores.*

Capítulo 10
¡Tu salud es lo primero!

10-1

1. b
2. a
3. c
4. b
5. c
6. b
7. c
8. b
9. c
10. b

10-2

1. tomarse la temperatura
2. diagnóstico
3. radiografía
4. receta
5. dolor de cabeza
6. tenía náuseas
7. se rompió un hueso
8. boca
9. sangre
10. los pulmones

10-3

1. g
2. b
3. a
4. c
5. f
6. d
7. e

10-4

1. el pie
2. la pierna
3. la oreja
4. el pecho
5. la cabeza
6. la cara
7. el cuello
8. el brazo
9. la mano
10. el dedo
11. el corazón
12. el hombro
13. la nariz
14. la rodilla

10-5

1. Tratemos
2. Hablemos
3. Vámonos
4. Estudiemos
5. Consultemos
6. recetemos
7. Vengamos
8. Pongamos

10-6

1. preparémonos
2. estudiémoslos
3. escribámosla
4. leámoslo
5. busquémoslo

10-7

1. Sí, leámosla. / No, no la leamos.
2. Sí, hablémosle. / No, no le hablemos.
3. Sí, recetémoslas. / No, no las recetemos.
4. Sí, pidámosela. / No, no se la pidamos.
5. Sí, recetémoslos. / No, no los recetemos.
6. Sí, pongámoselas. / No, no se las pongamos.
7. Sí, repitámoselo. / No, no se lo repitamos.
8. Sí, operémoslo. / No, no lo operemos.

10-8

1. se haga
2. se tome
3. guarde
4. deje
5. haga

10-9

Answers will vary.
1. Que vean buenos programas.
2. Que vuelvan temprano a casa.
3. Que coman alimentos saludables.
4. Que estudien mucho.
5. Que todos hablen con ella.

10-10

1. b
2. c
3. b
4. b
5. c
6. c

10-11

1. b
2. c
3. c
4. b
5. a
6. b
7. a
8. b

10-12

Answers will vary.
1. Corro y hago ejercicios aeróbicos.
2. Quiero adelgazar.
3. Sí, necesito ponerme en forma.
4. Levanto pesas y corro.
5. Sí, me cuido bien. Siempre como alimentos saludables y hago ejercicio.
6. Generalmente, como alimentos saludables.

10-13

1. te cuides
2. haya
3. puedas
4. esté
5. haga
6. vayamos
7. fumen
8. participemos
9. me mantega
10. estés

10-14

1. estudie
2. ser
3. estudiar
4. quiere
5. sea
6. tienen
7. se divierta
8. trabaje
9. tienen
10. quieren
11. esté
12. es
13. vaya
14. comprendan
15. respeten
16. consiga

10-15

Answers will vary.
1. Me alegro de que mis abuelos tengan buena salud.
2. Me enoja que mi padre no se cuide.
3. Espero que nadie se enferme.
4. Me preocupa que mi hermano fume.
5. Temo que mi abuelo tenga que estar a dieta.

10-16

Answers will vary.
1. Ojalá que me vaya bien en la universidad.
2. Ojalá que mi familia gane la lotería.
3. Ojalá que visitemos un país extranjero.
4. Ojalá me mantenga en forma.
5. Ojalá gane más dinero en mi trabajo.
6. Ojalá no tenga que visitar el médico este año.

10-17

1. No estoy segura de que el estrés se pueda remediar.
2. Niego que ponerse en forma requiere esfuerzo.
3. No creo que él consiga adelgazar.
4. Dudo que ustedes se mantienen en forma.
5. No pienso que el entrenador personal sepa mucho.
6. Niego que los atletas estén a dieta.
7. No estoy segura de que Esteban y Rocío guarden la línea.
8. No creo que Ramiro haga ejercicio.

10-18

Answers will vary.
1. No creo que a él le guste...
2. No es cierto que tenga...
3. Dudo que nosotros nos cuidemos...
4. No creo que haya...
5. Niego que sea...
6. No estoy seguro de que Manuel sea...
7. No es cierto que comer carbohidratos engorde mucho...
8. Dudo que todos nosotros hagamos...
9. No es cierto que los médicos recomienden...
10. Niego que fumar no tenga...

10-19

1. coma
2. controle
3. adelgace
4. me cuide
5. vaya
6. levante
7. me mantenga
8. consuma
9. deje
10. tenga

10-20

1. c
2. c
3. b
4. a
5. b
6. b
7. a
8. a
9. b
10. c

10-21–10-24

Answers will vary.

10-25

1. Operémoslo
2. Dejemos
3. Hagamos
4. Cuidémonos
5. Descansemos

10-26

1. se cuide
2. lea
3. haga
4. repase
5. escriba

10-27

1. esté
2. guarde
3. tome
4. siga
5. haga
6. se mejore
7. pueda

10-28

1. b, c
2. b, c
3. a, b, c
4. b, c
5. b
6. c
7. a

10-34

1. a, c
2. a
3. a, c
4. a, b, c
5. a, b
6. b, c

10-40

1. creo, comiences
2. niegan, me sienta
3. dudamos, suben
4. dudas, salgamos
5. piensa, llegues
6. crees, opera

10-43

The following labeled body parts should be included:
brazo / ojos / corazón / hombro / dedos / frente / mano /
boca / pies / cabeza / cuello / estómago / garganta /
lengua / oreja / nariz / pulmón

10-45

Answers will vary.
1. Me siento mal.
2. Tengo dolor de garganta y toso mucho.
3. Que los compra Esteban.
4. El médico me recomienda que tome jarabe y que
   guarde cama.
5. Hago el jogging y levanto pesas.
6. Los cigarrillos y las bebidas alcohólicas son malos
   para la salud.
7. Lamento que no se cuide.
8. Creo que es importante comer bien, porque quiero
   guardar la línea.

Capítulo 11
¿Para qué profesión te preparas?

11-1

1. b
2. a
3. b
4. a
5. c
6. b
7. a
8. b
9. c
10. a

11-2

1. arquitecta
2. secretario
3. peluquero
4. intérprete
5. entrenamiento
6. a comisión
7. meta
8. veterinaria

11-3

1. e
2. a
3. b
4. d
5. f
6. c

11-4

Answers will vary.
1. Un gerente contrata más empleados.
2. Una veterinaria cura a mi perro.
3. Un mecánico repara el coche.
4. Un peluquero corta el pelo.
5. Una carpintera hace muebles.
6. Una bombera apaga un fuego.
7. Un cartero reparte las cartas.
8. Un vendedor atiende a los clientes.

11-5

1. b
2. c
3. b
4. a

11-6

1. hablar
2. mires
3. consigas
4. lean
5. sepamos
6. conozca
7. sean
8. dé
9. digan
10. trabajemos

11-7

1. tiene
2. sean
3. apaguen
4. haya
5. diseña
6. esté
7. suba
8. venga
9. hacer
10. consiguieran
11. trabajar
12. conozcan
13. saber
14. den
15. conversen
16. llegar
17. reparo
18. venda
19. saquen
20. estudian

11-8

Answers will vary.
1. Es importante saber dos idiomas.
2. Es indispensable tener buenos empleados.
3. Es necesario ser inteligente.
4. En un buen empleado es evidente su interés y cooperación.
5. Sí, porque pueden hablar dos idiomas y ayudar más a la compañía.

11-9

1. pasa
2. ocurre
3. quiere
4. es
5. digas
6. seas
7. llamemos
8. escuche
9. hables
10. conoces
11. eres
12. esté
13. eres
14. quieres
15. hables
16. digas
17. tenemos

11-10

1. b
2. b
3. c
4. a
5. c
6. b
7. b
8. c
9. c

11-11

1. Estimada
2. vacante
3. experiencia práctica
4. calificaciones
5. currículum vitae
6. recomendación
7. solicitud de empleo
8. referencia
9. capaz
10. honrado
11. la saluda atentamente

11-12

Answers may vary.
1. Me visto bien y llego a la entrevista temprano.
2. Hablo con él.
3. Trato de convencerlo que necesito ascender.
4. Le digo enhorabuena.
5. Se la doy a mis padres.
6. Me pongo muy triste.
7. Hablo con el gerente de la compañía.
8. Me pongo muy contento/a.

11-13

1. duerma
2. Saque
3. Lea
4. Rellene
5. Empiece
6. ponga
7. almuerce
8. Prepare
9. Firme
10. Escríbales
11. hable
12. Contrate
13. beba
14. Cierre
15. Llegue
16. Vaya
17. Esté
18. Hable
19. salga
20. Siga

11-14

1. Esté
2. Traiga
3. Abra
4. Lea
5. Siga
6. Mire
7. Haga
8. Vaya
9. Escríbales
10. Termine
11. Salga
12. Vuelva

11-15

1. Vivan / piensen
2. Hablen / conversen
3. Coman / duerman
4. Trabajen / compren
5. Discutan / riñan
6. Quieran / vivan
7. Recuerden / sigan

11-16

1. quíese / se quite
2. llame / llame
3. lleve / lleve
4. dele / le dé
5. muestre / muestre
6. rellene / rellene
7. pregunte / pregunte
8. hable / hable

11-17

1. empecemos
2. tenga
3. diga
4. necesiten
5. haya
6. sepa
7. busque
8. quieran

11-18

1. Normalmente, él llega a su oficina cuando su jefe todavía no está.
2. Él va hablar con el gerente tan pronto como llegue a la oficina.
3. Él va a firmar los cheques antes de ir al banco.
4. Él entrevista a los candidatos para que la empresa tenga los mejores empleados.
5. Miguel va a ascender en cuanto la supervisora se jubile.
6. Miguel trabaja horas extra a fin de que pueda ir de vacaciones.
7. Él no se quiere ir de la empresa sin que lo contraten en otra empresa.
8. Él va a trabajar hasta que tenga sesenta y cinco años.
9. No va a contratar a nadie a menos que un empleado renuncie.
10. Miguel está contento en la empresa con tal que le aumenten el sueldo todos los años.

11-19

1. voy a entrevistar / revise
2. Vamos a establecer / llegue
3. va a ayudar / tenga
4. Vamos a contratar / quiera
5. vamos a hablar / empiecen
6. vamos a dar / muestren

11-20

1. conseguir
2. me sienta
3. contraten
4. evaluar
5. esté
6. reciba
7. encuentre
8. pida
9. trabaje
10. trabajar

11-21

1. soy
2. es
3. sea
4. quite
5. haya
6. contraten
7. tenga
8. ofrezca
9. aprender
10. poder

11-22

1. C
2. F
3. F
4. F
5. C
6. F
7. C
8. C
9. C
10. F

11-23–11-27

Answers will vary.

11-28

1. sea
2. haya
3. tengas
4. ofrezca
5. estén
6. trabajar

11-29

1. lleguen
2. hable
3. sea
4. asistan
5. rellene
6. pidan

11-30

1. haga
2. llego
3. tenga
4. cometa
5. ir
6. necesite
7. esté
8. tener

11-31

1. c
2. b
3. b
4. b, c
5. a
6. b, c
7. a
8. b
9. a, b

11-33

1. uncertainty
2. certainty
3. uncertainty
4. uncertainty
5. certainty
6. certainty

11-36

1. a, c
2. b, c
3. b, c
4. b
5. b, c
6. b

11-39

1. comience
2. busque
3. venga
4. pídalas
5. póngalas
6. almuerce
7. léala
8. salga

11-43

1. uncertainty
2. certainty
3. uncertainty
4. uncertainty
5. uncertainty
6. certainty

11-44

Esteban: trabaja a comisión / seguro médico

Leonardo: sueldo fijo / seguro médico

Carlos: sueldo fijo / plan de retiro / seguro médico / bonificación anual

Susana: sueldo fijo / plan de retiro / seguro médico / bonificación anual

11-45

Answers will vary.
1. Me voy a dedicar a ser psicólogo.
2. Voy a tener seguro médico y un plan de retiro.
3. Es importante que tenga un supervisor competente.
4. Quiero vivir en una ciudad grande cuando termine con mis estudios.
5. Amigos, ¡busquen trabajo!
6. Le puedo pedir una carta de recomendación a mi profesora favorita.
7. Lo voy a mirar en cuanto llegue a la oficina.
8. Mi jefe es entusiasta.

Capítulo 12
El futuro es tuyo

12-1

1. b
2. c
3. c
4. a
5. b
6. c
7. a
8. c
9. b
10. b

12-2

1. f
2. g
3. b
4. c
5. d
6. h
7. a
8. e

12-3

1. cajero automático
2. contestador automático / grabar
3. teléfono inalámbrico
4. antena parabólica
5. red informática
6. procesador de textos
7. lector de DVD
8. finca
9. imprimir
10. pantalla

12-4

Sentences will vary.
1. La impresora: La impresora que tengo es magnífica.
2. La computadora: Tengo una computadora en la oficina y otra en casa.
3. El teclado: Hay muchas letras en el teclado de mi computadora.
4. La pantalla: La pantalla de mi computadora es verde.
5. El disquete: Temo que mi hermano haya borrado la información del disquete.
6. La hoja electrónica: Voy a darle la información que está en la hoja electrónica a la supervisora.

12-5

1. a
2. c
3. b
4. b
5. b

12-6

1. Sí, la he fotocopiado.
2. Sí, la he instalado.
3. Sí, las he calculado.
4. Sí, los he archivado.
5. Sí, los hemos sembrado.

12-7

1. Nosotros hemos archivado los documentos en el disquete.
2. Fernando ha programado la computadora.
3. Yo he borrado los archivos del disco duro.
4. Felipe ha imprimido los documentos. *or* Felipe impreso los documentos.
5. Mis amigos han ido al despacho.
6. Yo he escuchado los mensajes del contestador automático.
7. Tú has encendido la impresora.
8. Nosotros hemos comprado el teléfono móvil.

12-8

1. Se lo he dado. Ya está dado.
2. Lo he guardado. Ya está guardado.
3. Se lo he instalado. Ya está instalado.
4. Se lo he pedido. Ya está pedido.
5. Se la he hecho. Ya está hecha.

12-9

1. rota
2. abierto
3. hecho
4. escritos
5. puesto
6. lleno
7. enviado
8. programado
9. perdido
10. escrito

12-10

1. hará
2. imprimirá
3. instalarán
4. pondrás
5. miraremos
6. leeremos
7. vendrán
8. darán
9. archivarán

12-11

1. escribirá
2. pondrán
3. dirá
4. leerá
5. sacarán / sacaréis
6. usaré
7. buscarán
8. se comunicará
9. veremos
10. prepararemos

12-12

1. asistiremos
2. tomará
3. tomaré
4. aprenderá
5. querré
6. irán
7. tendré
8. Nos divertiremos
9. estudiarás

12-13

1. llegaremos
2. hará
3. traerás
4. llamará
5. pondrán
6. imprimirá
7. tendrán
8. almorzarán
9. tendrás
10. saldrán

12-14

Answers will vary.
1. No sé, pero será alguien con mucha experiencia.
2. Él / Ella será muy trabajador/a y responsable.
3. Vendrá de California o de Nueva York.
4. Tendrá planes de usar más tecnología.
5. Hará evaluaciones y dará aumentos de sueldos.

12-15

1. F
2. F
3. F
4. F
5. C
6. F
7. F
8. F
9. C
10. F
11. C
12. F
13. C

12-16

Sample answers.
1. La atmósfera de Chernobyl está contaminada.
2. Tenemos que proteger el medio ambiente de la contaminación.
3. En nuestra ciudad no habrá más contaminación del aire.
4. No echemos desechos en el mar.
5. La energía nuclear no es un lujo, es una necesidad.
6. Ojalá que no haya una escasez de recursos naturales en el mundo.
7. Hay muchas fábricas en los EE.UU. y el Canadá.
8. Espero que no tengamos más problemas de lluvia ácida.

12-17

1. reciclaje
2. multa
3. naturaleza
4. escasez
5. consumir / reciclar
6. reforestación
7. radioactividad
8. conservar
9. dispuestos
10. medida

12-18

Answers will vary.
1. La contaminación del aire es el problema más serio que afecta al medio ambiente.
2. Hay que tomar medidas muy serias contra las fábricas que contaminan la atmósfera.
3. Hay que ponerles una multa a los responsables de la deforestación.
4. Prefiero desarrollar la energía solar porque no es tan peligrosa como la energía nuclear.
5. Se le debe poner una multa a una industria cuando ésta contamina la atmósfera.

12-19

1. estudiaría
2. controlaría
3. habría
4. multaría
5. protegería
6. establecería
7. plantaría
8. pondría
9. empezaría
10. administraría

12-20

1. haría
2. informaría
3. hablaría
4. explicaría
5. buscaría
6. Promocionaría
7. sería
8. Pondría
9. sugeriría
10. deberían

12-21

1. querrían
2. saldríamos
3. llegaríamos
4. plantaríamos
5. yudaríamos
6. compraríamos
7. llevaríamos
8. Estaríamos
9. volveríamos

12-22

1. No sabría la hora.
2. Tendría problemas con su coche.
3. Iría a otra entrevista.
4. Perdería la dirección.
5. Entendería mal a la secretaria.
6. Estaría enfermo.

12-23

Answers will vary.
1. Iría de vacaciones al Caribe.
2. Ayudaría a los necesitados.
3. Daría dinero a mi familia.
4. Viajaría todos los años.
5. No jugaría a la lotería.
6. Construiría una casa nueva.

12-24

1. Recicla
2. Protege
3. Pon
4. Compra
5. arrojes
6. Pídeles
7. empeores
8. cortes

12-25

1. Enciende
2. Escribe
3. Busca
4. imprimas
5. Archiva
6. Borra
7. borres
8. Envíale
9. Pon
10. apagues

12-26

1. Instálalos
2. Cómpralos
3. Hazlas
4. Contéstalo
5. Atiéndelos
6. Búscala
7. Prográmala
8. Imprímelas
9. Escríbelo
10. Llévalas bien

12-27

1. C
2. C
3. F
4. C
5. C
6. F
7. C
8. F
9. C
10. F

12-28–12-31

Answers will vary.

12-32

1. encendida
2. impresos *or* imprimidos
3. instalados
4. conectado
5. rota
6. archivados

12-33

1. ha estudiado
2. Has visto
3. hemos acabado
4. Ha tomado
5. han escrito / han hecho

12-34

1. irán
2. reservarán
3. visitarán
4. estaré
5. asistiré
6. cenaremos
7. lamaremos

12-35

1. reduciría
2. pondría
3. controlaría
4. plantaría
5. educaría
6. combatiría
7. sería

12-36

1. Estará
2. Serán
3. Estará
4. Trabajaría
5. Repasaría
6. instalaría

12-37

1. Escribe
2. Escucha
3. juegues
4. llames
5. Usa
6. te vayas

12-38

1. c
2. b
3. a
4. c
5. b
6. a, b, c
7. c

12-47

1. b
2. a
3. b, c
4. b
5. b
6. a, c

12-56

Answers will vary.
1. Lo leo tres veces al día.
2. Manolo me ha llamado de su teléfono móvil.
3. Es grande.
4. Compraré una impresora.
5. Puedo usar menos agua.
6. Reciclaría más botellas, envases de aluminio y periódicos.

Capítulo 13
¿Oíste las noticias?

13-1

1. F
2. F
3. C
4. F
5. C
6. C
7. F
8. C
9. C
10. C

13-2

Sample answers.
1. Los radioyentes de esa emisora son muy fieles.
2. Ese señor es el patrocinador de mi programa favorito de televisión.
3. El concurso "La ruleta de la fortuna" es mi programa favorito.
4. Muchos televidentes miran ese certamen.
5. Los partidos de fútbol en televisión son en directo.
6. ¿Leíste el titular que apareció en la primera plana?
7. La reportera del periódico no escribió esa crónica social.
8. El artista prepara las tiras cómicas para el periódico.
9. Los medios de comunicación tienen la obligación de informar al público.
10. La comentarista del noticiero es muy amiga mía.

13-3

1. g
2. h
3. d
4. e
5. b
6. a
7. f
8. c

13-4

1. b
2. b
3. a
4. a
5. a
6. a
7. a
8. a
9. b
10. a

13-5

1. conserváramos / arrojáramos / consumiéramos / protegiéramos
2. tuviera / multara / le explicara / contribuyera
3. aprendieran / asistieran / estuvieran / hicieran
4. pudiéramos / quisiéramos / les habláramos / siguiéramos

13-6

1. Él esperaba que los gobiernos hicieran algo para mejorar el medio ambiente.
2. Él quería que les escribiéramos a nuestros compañeros.
3. También esperaba que todos aprendieran algo de los resultados de la contaminación.
4. Dudaba que se pudiera resolver la situación inmediatamente.
5. Temía que no hubiera muchas soluciones disponibles.
6. Nos dijo que empezáramos un programa de reciclaje en el barrio.
7. Recomendó que comenzáramos con un grupo pequeño.
8. Insistió en que yo fuera el líder del grupo.
9. Nos pidió que le dijéramos los resultados.
10. Sugirió que todos participáramos para que tuviéramos exito.

13-7

1. leamos
2. vieras
3. dieran
4. revise
5. protegiera
6. trajera
7. ocurrieran
8. haya
9. transmitiera
10. se dieran
11. albergaran
12. estén
13. se encontraran
14. analicemos
15. consiguiera

13-8

1. ¿Las tuyas?
2. ¿Las mías?
3. ¿El suyo?
4. ¿Los nuestros?
5. ¿Las mías?
6. ¿El nuestro?
7. ¿La suya?
8. ¿Las suyas?

13-9

1. No, no es mía, es suya.
2. No, no son tuyas / suyas, son nuestras.
3. No, no son nuestros, son suyos.
4. No, no es tuyo / suyo, es suyo.
5. No, no es suyo, es tuyo.
6. No, no son nuestros, son suyos.
7. No, no son tuyas / suyas, son suyas.
8. No, no es mío, es suyo.

13-10

1. el tuyo
2. el tuyo
3. Los míos
4. Los tuyos
5. las mías / las mías / las tuyas
6. el tuyo

13-11

1. F
2. C
3. F
4. C
5. C
6. C
7. F
8. F
9. C
10. F

13-12

1. productores
2. final
3. la primera actriz
4. galán
5. espectadores
6. filmó
7. obras de teatro
8. comedia
9. guión
10. protagonista

13-13

Answers will vary.

13-14

1. escuchas
2. quieres
3. tendríamos
4. fuera
5. tuviéramos
6. sabría
7. pudiera
8. estaríamos
9. interesáramos
10. verían

13-15

1. tuviera
2. soy
3. pudiera
4. tendré
5. iría
6. quisieras
7. tienen
8. filmarían

13-16

Sentences will vary, verb forms should not.
1. leería más revistas
2. podría oír las noticias
3. tengo talento
4. me dieran la oportunidad
5. lo haré
6. tuviera dinero
7. sería actor/actriz
8. trabajara en el periódico

13-17

1. habremos llegado
2. habrá llamado
3. habrás traído
4. habrá avisado
5. habrán comprado
6. habrá leído
7. habrán hecho
8. habremos comido

13-18

1. Habrán aprendido / habremos memorizado
2. Habrán filmado / habremos tenido
3. Habrá escrito / habré hecho
4. Habrán instalado / habrán terminado
5. Habrá pedido / habrá recogido

13-19

1. habría contratado
2. habría grabado
3. habría sido
4. habríamos actuado
5. habríamos tenido
6. habría trabajado
7. habríamos terminado
8. habría hecho
9. habría conseguido
10. habríamos ganado

13-20

Answers will vary.
1. Siendo actor / actriz habría conocido a muchas estrellas de cine.
2. Siendo presidente del gobierno, habría luchado contra la corrupción.
3. Estudiando en otro país, habría conocido a mucha gente.
4. Con más dinero, habría ido de vacaciones.
5. Siendo miembro de la Academia de Hollywood, habría premiado a Antonio Banderas.
6. Siendo director/a de cine, habría filmado una película en Brasil.
7. Sabiendo hablar español perfectamente, habría viajado a muchos países latinamericanos.
8. En una universidad diferente, habría estudiado arte.

13-21

1. C
2. F
3. F
4. C
5. F
6. C
7. C
8. C
9. F
10. C

13-22–13-25

Answers will vary.

13-26

1. hablara
2. cambiara
3. escribiera
4. supiera
5. dijera
6. publicaran

13-27

1. El mío
2. El mío
3. el mío
4. Los míos
5. los tuyos

13-28

1. b
2. a
3. c
4. b
5. a

13-29

1. habría ido
2. habremos visto
3. habrá tenido
4. habrían sido
5. habría estudiado
6. habrá conseguido

13-30

1. a, c
2. c
3. b, c
4. b, c
5. a, c
6. a, c
7. b
8. b, c

13-37

1. a
2. b
3. a, c
4. b
5. a, c
6. c

13-41

1. sabido
2. puesto
3. casado
4. estado
5. dicho
6. vuelto
7. muerto
8. creído

Capítulo 14
¡Seamos cultos!

14-1

1. C
2. F
3. C
4. F
5. C
6. F
7. F
8. C
9. F
10. F

14-2

1. aplaudiría
2. repertorio
3. escenario
4. diva
5. audición
6. ensayar
7. músicos
8. bajo

14-3

1. c
2. d
3. e
4. a
5. b

14-4

Sentences will vary.
1. Mozart fue un gran compositor.
2. Si yo pudiera, sería director de orquesta.
3. La soprano cantó mejor que el tenor en la opera de ayer.
4. La gira de Bruce Springsteen por Europa fue un éxito.
5. La banda tocaría a las tres de la tarde.

14-5

1. c
2. b
3. a
4. b
5. b

14-6

1. Hace un día que la orquesta ensayó.
2. Hace una hora que comenzó la opera.
3. Hace cinco horas que el tenor cantó.
4. Hace un mes que se terminó la audición.
5. Hace tres días que el compositor compuso la pieza.
6. Hace un año que tocó la banda.
7. Hace cuatro días que se representó la comedia.
8. Hace media hora que el músico trajo la guitarra.

14-7

1. Hace un día que no voy a un concierto.
2. Hace un mes que no escucho una sinfonía.
3. Hace un año que busco boletos para la ópera.
4. Hace dos días que no he visto una comedia musical.
5. Hace mucho tiempo que estoy haciendo cola.
6. Hace dos semanas que compongo esta pieza.
7. Hace cinco años que no toco el piano.
8. Hace tres años que asisto a las funciones.

14-8

1. hace
2. espero
3. Hace
4. se peina
5. empieza
6. Hace
7. llega
8. vamos
9. dice
10. tiene
11. hace
12. espero

14-9

1. había visitado
2. habíamos conocido
3. había visto
4. habían ensayado
5. se había puesto
6. había compuesto
7. se habían enfermado
8. había abierto

14-10

1. Cuando yo llegué al teatro, mis amigos ya se habían sentado.
2. Cuando el director regresó, el coro ya había cantado.
3. Cuando Luis compró las entradas, Pedro ya las había conseguido.
4. Cuando el tenor improvisó la pieza, ya el bajo la había ensayado.
5. Cuando la soprano cantó, el público ya había aplaudido.
6. Cuando nosotros volvimos, la comedia ya se había terminado.
7. Cuando tú trajiste la guitarra, el sexteto ya había tocado.
8. Cuando Ramón y tú visitaron el teatro, yo ya había hablado con Plácido.

14-11

1. C
2. C
3. F
4. F
5. C
6. C
7. F
8. C
9. F
10. F

14-12

1. modelo
2. diseñadora
3. disfraces
4. prenda
5. desfile de modas
6. sencillez
7. bien hecha
8. tela

14-13

1. c
2. a
3. b
4. b
5. a
6. b
7. c

14-14

Answers will vary.
1. Para mí, estar de moda significa vestirse como la gente se viste en la actualidad.
2. Mis telas favoritas son el algodón porque es muy fresco y el terciopelo porque es muy elegante.
3. Prefiero lo sencillo porque es más natural.
4. Yo alquilaría la prenda de vestir o se la pediría prestada a un/a amigo/a.
5. Sí, me gustaría ser diseñador/a de modas porque ganaría mucho dinero.

14-15

1. Era / hubiera tenido
2. creía / hubiera trabajado
3. Dudábamos / hubiera hecho
4. Esperabas / hubieran vendido
5. Sentía / hubieras conseguido
6. Esperaban / hubieras visto
7. creía / hubieran abierto
8. Era / hubieran traído
9. Era / hubiera conocido
10. Tenía / hubieran puesto

14-16

1. hubieran muerto
2. hubieran diseñado
3. hubieran sido
4. hubieran estado
5. hubieran vendido
6. hubiéramos vivido
7. hubieran echado
8. hubieran inventado

14-17

1. hubiera sido / habría comprado
2. hubiera querido / hubiera invitado
3. hubiera tenido / habría ido
4. hubiera tenido / habría sido
5. hubiera sido / habría tenido
6. hubiera podido / habría hecho

14-18

Answers will vary.
1. habría vivido en París
2. habría viajado por todo el mundo
3. habría trabajado para Carolina Herrera
4. habría tenido un programa en TV
5. habría vestido ropas de Carolina Herrera

14-19

1. F
2. F
3. F
4. C
5. C
6. F
7. F
8. C
9. F
10. C

14-20–14-23

Answers will vary.

14-24

1. Hace / veo
2. hace / es
3. Hace / viven
4. hace / conoció
5. Hace / hizo

14-25

1. había interesado
2. habíamos visto
3. había hecho
4. había ganado
5. habían sido

14-26

1. a
2. c
3. b
4. a
5. c

14-27

1. c
2. a
3. a, c
4. b
5. c
6. a

14-33

1. a
2. c
3. b, c
4. a
5. c
6. a, c

Capítulo 15
¿Te gusta la política?

15-1

1. b
2. c
3. b
4. a
5. c
6. b
7. c
8. c

15-2

1. ejército
2. pacifista
3. fortalecer
4. armas
5. abolir
6. esfuerzo
7. ciudadanos
8. pobreza
9. conflictos
10. firmar

15-3

Answers may vary.
1. Quiero que nuestra nación abole nuestro ejército.
2. Si yo pudiera, fortalecería la democracia en todos los países del mundo.
3. Si todos los países hacen un esfuerzo, podemos lograr la paz.
4. Yo procuraré asistir a muchos foros en nuestra universidad.
5. Todo ciudadano tiene que promover la paz mundial.
6. Ese país no pudo comprar armas porque violó los derechos humanos.

15-4

Answers will vary.
1. Puede haber paz mundial si todos los países acuerdan abolir los ejércitos.
2. Algunos de los derechos humanos son la libertad de prensa y la libertad de expresión.
3. Yo crearía más trabajo y también más escuelas.
4. Creo que no, porque los ejércitos protegen a las naciones.
5. Hay conflictos porque hay muchas personas malas en este mundo.

15-5

1. promueva
2. quiera
3. conozca
4. firme
5. viole
6. procure
7. entienda
8. logre

15-6

1. es / sean
2. trabaja / pueda
3. tenga / son
4. parecen / quiera
5. respeta / viole
6. elimina / haga
7. quiera / pueda
8. está / esté
9. prefiere / logre
10. resuelva / logre

15-7

1. sea
2. tenga
3. pueda
4. tenga
5. quiera

15-8

1. Se necesita un editorialista que sea decisivo, que promueva el diálogo y que logre nuestros objetivos.
2. Se busca un comentarista que tenga contacto con los ciudadanos, que promueva nuestras ideas y que procure llevar nuestro mensaje al pueblo.
3. Se solicita secretaria de prensa que hable bien en público, que sea inteligente y que se lleve bien con los otros.
4. Se necesitan vendedores que puedan vender anuncios, que crean en nuestro periódico y que quieran mejorar las ventas.
5. Se necesita un/a artista que pueda ilustrar bien, que diseñe nuevos diseños y que tenga nuevas ideas.

15-9

1. quien
2. que
3. que
4. que
5. lo que
6. lo que
7. que
8. que
9. lo que

15-10

1. Lo que
2. que
3. Lo que
4. lo que
5. quienes
6. que
7. lo que
8. que
9. que
10. que
11. que
12. lo que

15-11

1. C
2. F
3. F
4. F
5. C
6. F
7. C
8. C

15-12

1. presidente
2. asesora
3. alcalde
4. juez / leyes
5. discursos / contricantes
6. dictador
7. elecciones
8. campañas
9. deber
10. monarquía

15-13

1. afrontar
2. mejorar
3. combatan
4. promuevan
5. eliminen
6. ayudar
7. prevenir
8. aumenta
9. apoyamos
10. logre

15-14

1. Si ustedes me eligen, eliminaré los impuestos.
2. Si ustedes me eligen, reduciré la tasa de desempleo.
3. Si ustedes me eligen, combatiré la drogadicción.
4. Si ustedes me eligen, terminaré con la corrupción.
5. Si ustedes me eligen, habrá más programas sociales.
6. Si ustedes me eligen, aumentaré el presupuesto de la defensa.
7. Si ustedes me eligen, tendremos honestidad en el gobierno.
8. Si ustedes me eligen, pondré fin a la inflación.

15-15

1. A nosotros se nos quedó el discurso en casa.
   A ti se te quedó el discurso en casa.
   A mí se me quedó el discurso en casa.
2. A Ana se le perdieron los editoriales.
   A Pedro y a Rodrigo se les perdieron los editoriales.
   A nosotros se nos perdieron los editoriales.
3. A ti se te olvidó asistir al foro.
   A mí se me olvidó asistir al foro.
   A mis asesores se les olvidó asistir al foro.
4. A las senadoras se les acabaron los discursos.
   A la representante se le acabaron los discursos.
   Al gobernador se le acabaron los discursos.
5. A nuestros padres se les terminó su trabajo.
   A nosotros se nos terminó nuestro trabajo.
   A ti y a tu hermana se les terminó su trabajo.

15-16

1. Se me olvidó
2. Se nos perdió
3. Se le dañó
4. Se le acabó
5. Se les ocurrió
6. Se le fue
7. Se les olvidó
8. Se le perdió

15-17

1. fue eliminada
2. fue aumentado
3. fueron elegidos
4. fueron ganados
5. fueron perdidas
6. fue resuelto
7. fue hecho
8. fueron abolidos
9. fue controlada
10. fueron visitados

15-18

1. Sí, un programa de reciclaje fue establecido por el senado.
2. Sí, la multa a la fábrica fue puesta por el juez.
3. Sí, los derechos humanos fueron promovidos por los representantes.
4. Sí, la pobreza fue eliminada en esa ciudad por la alcaldesa.
5. Sí, el crimen en el estado fue combatido por la gobernadora.
6. Sí, los impuestos fueron aumentados por el congreso.
7. Sí, la desmilitarización fue lograda por los ciudadanos.
8. Sí, más fondos para los programas de ayuda social fueron buscados por los senadores.

15-19

Answers will vary.
1. El crimen será combatido con más policías.
2. Se eliminarán los impuestos a la gasolina y los impuestos a los refrescos.
3. Se aumentará el número de soldados en el ejército.
4. La tasa de desempleo será reducida después de crear más trabajos.
5. Podrán ser aumentados con más impuestos a los ricos.

15-20

1. sino
2. pero
3. sino
4. pero
5. pero
6. sino
7. sino
8. sino
9. pero
10. sino

15-21

1. pero
2. pero
3. sino
4. sino
5. sino
6. pero
7. pero

15-22

1. F
2. C
3. F
4. C
5. C
6. F
7. C
8. C
9. F
10. C

15-23–15-26

Answers will vary.

15-27

1. sea
2. logra
3. pueda
4. se preocupe
5. apruebe
6. trabaja

15-28

1. que
2. quien
3. que
4. lo que
5. quien
6. Lo que

15-29

1. me olvidó
2. le cayeron
3. les perdió
4. te ocurrieron
5. me rompió

15-30

1. fue votado
2. fue discutida
3. fueron desarmados
4. fue firmada
5. fueron decididas

15-31

1. pero
2. sino
3. pero
4. pero
5. sino
6. sino

15-32

1. c
2. b, c
3. b
4. b, c
5. a
6. a, c

15-38

1. c
2. a
3. a, b
4. a, b
5. b, c
6. a
7. a, c

15-46

Answers will vary.
1. Un problema mundial que afecta el lugar donde vivo es el desempleo.
2. Una solución es más programas sociales para el entrenamiento de individuos desempleados.
3. Busco un presidente que sea honrado.
4. La persona con quien hablo es interesante.
5. Las características que admiro son la dedicación a la familia y al trabajo.
6. Sí, voto, porque es el deber del ciudadano.
7. Se eliminan los programas sociales cuando el gobierno no tiene suficiente dinero.
8. ¡Sí, se me terminó!